شو ټول ملګري شو

We Can All Be Friends

(پښتو - انګليسي)

(Pashto - English)

by Michelle Griffis
translated by Mujeeb Shinwari

Language Lizard
Basking Ridge

Visit www.LanguageLizard.com/Harmony for additional teaching resources, activities, and English audio for this book.

We Can All Be Friends Pashto - English
Copyright © 2021 Michelle Griffis
Published by Language Lizard
Basking Ridge, NJ 07920
info@LanguageLizard.com

Visit us at www.LanguageLizard.com

First edition 2021

Library of Congress Control Number: 2021919715

ISBN: 978-1-63685-106-8 (Print)

موږ ټول لوبه کوو،

we all play,

موږ ټول خورو،

we all eat,

موبِ تول لمانحُو،

we all celebrate,

موږ ټول خاندو،

we all laugh,

موږ ټول ژاړو،

we all cry,

موږ ټول میوزیک کوو،

we all make music,

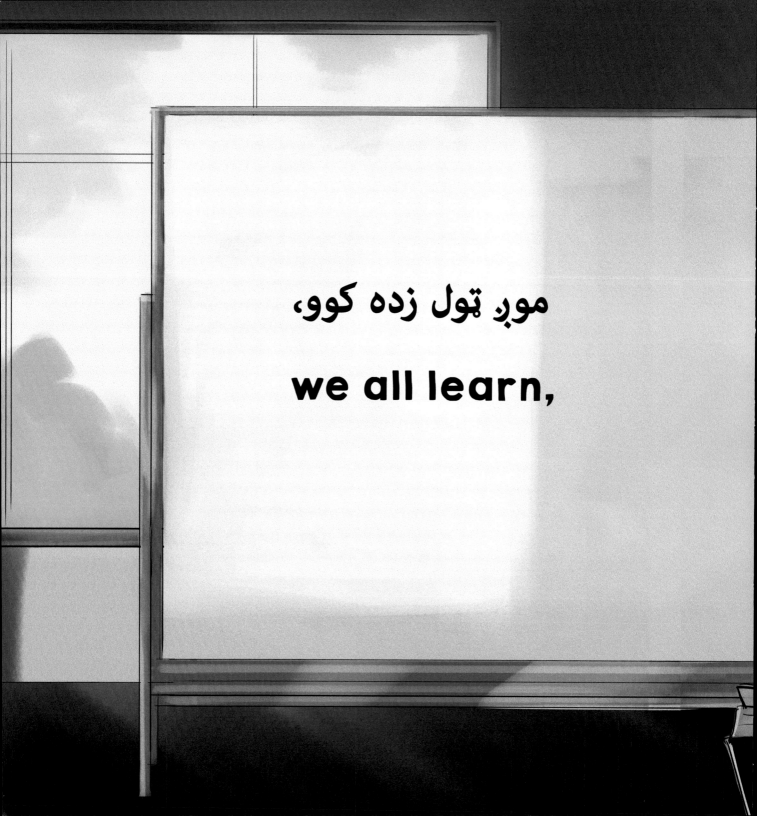

موږ ټول زده کوو،

we all learn,

موږ ټول خوب کوو،

we all dream,

موږ ټول جوړوو،

we all create,

او موږ ټول مينه کوو.

and we all love.

موږ ټول کولی شو ملګري شو.

We can all be friends.